LES MURS CLAIRS

Quelques poèmes ont été publiés dans les revues *Estuaire* et *Vericeutos* sous une forme parfois différente.

Martine Audet

LES MURS CLAIRS

Lithographies de
Maria Margarita Torres

ÉDITIONS DU NOROÎT

Le Noroît souffle où il veut,
en partie grâce aux subventions de la Société de
développement des entreprises culturelles du Québec
et du Conseil des Arts du Canada.

Artiste : Maria Margarita Torres
Infographiste : Normand Champagne

Dépôt légal : 3ᵉ trimestre 1996
Bibliothèque nationale du Québec
Bibliothèque nationale du Canada
ISBN : 2-89018-347-5

DISTRIBUTION AU CANADA
EN LIBRAIRIE   AUTRES
Distribution Fides   **Le Noroît**
165, rue Deslauriers   1835, boul. Les Hauteurs
Saint-Laurent (Québec) H4N 2S4   Saint-Hippolyte (Québec) J0R 1P0
Téléphone : (514) 745-4290   Tél. et télécopieur : (514) 563-1644
             1-800-363-1451
Télécopieur : (514) 745-4299
             1-800-363-1452

DISTRIBUTION EN EUROPE
Librairie du Québec
30, rue Gay Lussac
75005 Paris
Téléphone : (1) 43 54 49 02
Télécopieur : (1) 43 54 39 15

Imprimé au Québec, Canada

à Marie-Line

Déguisements

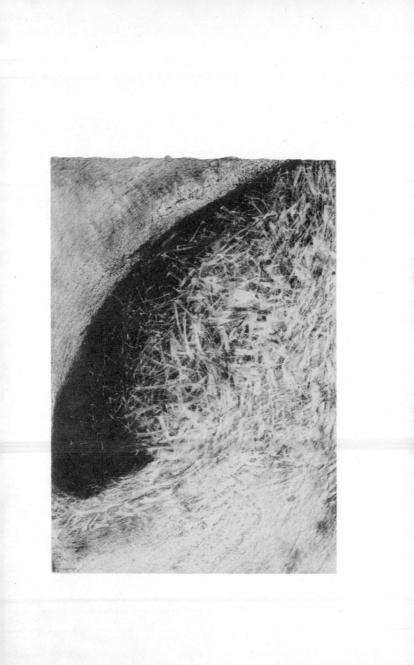

sur la table
un fruit se vide
mes yeux rejettent les noyaux
(ils ont cette rondeur des os patients)

commence ainsi ma main

à l'intérieur
le bruit du ciel
avec ses trous d'oiseaux

depuis l'oiseau errant entre nos bouches
nos mains voyagent
en un doux fouillis de mer

vivre calme
simplement
pour que la chair soit ce frottis
des embruns marins
elle saura alors arrondir la nuit

autrement
à l'affût des années
que l'on laisse se troubler
au bout de nos bras
nous creusons à même les os
des esquifs pareils
à ces flammes vacillantes
à la surface de l'eau

sait-on que le jour est aveugle

mes os sont de pierre
dans ma bouche des déguisements
quand je cherche à disparaître

je verse le vent connu de ton visage

le jour vient
comme un murmure de l'œil

je prête l'oreille
au premier dépliement du jour

la clarté se tend
comme un pain à la faim

pourtant les raisons d'exister sont du sable
qui scelle la bouche

petit bruit de la langue
qui lèche l'air froid

un poème
la nuit s'échappe par tous les pores

la clarté est-elle si fragile
qu'il faille brûler chacun de nos os

chaque vertèbre contient une morsure
et des fracas d'hiver
et des chorales de glace

je retire les os cassés de ma bouche
la mutité du jour
devient une lente écriture

sans mes yeux
que du sommeil au bord des mains

souvent nos doigts sont des cierges
enfoncés dans cette nuit que l'on célèbre
jusqu'à la meurtrissure de la bouche
je voudrais tant retenir le fleuve
la joie vraisemblable du fleuve
qui vibre comme un œil
dans la lumière rare et dorée

enfoui
dans les immensités de tes paumes
le jour s'ouvre

je n'ai pas à parler
les yeux reprennent sous la peau

de nouveau cette seule beauté
qui rappelle le sang
la résistance des paupières

avec des murmures d'herbes
et de pierres
j'irai près de ton visage

le ciel bat à la fenêtre

la mort douce existe
comme un bracelet d'air
j'y porte tes paumes

à quérir ainsi ces ailes
brillance d'un trait
dans la ferveur des vents
le jour avait bougé

et jusque très tard
nous avons dévêtu nos gestes

un oiseau survole
le bruit mat des regards

plus avant cette joie
où perle un fruit

chaque heure
a goût de patience
et si fermement
le souci d'être heureuse

des pierres glissent le long de mon dos
j'entends le vent
sa blancheur me lape les yeux

rien ne finit
sinon ce sommeil
où crachote ma voix

j'oublie les roses

j'imagine la respiration du jour
qui reprend jusqu'aux morts les plus morts

plus tard
la main refera le ciel lisse

je serai la même
des paroles pleines
au bord de la voix

Les murs

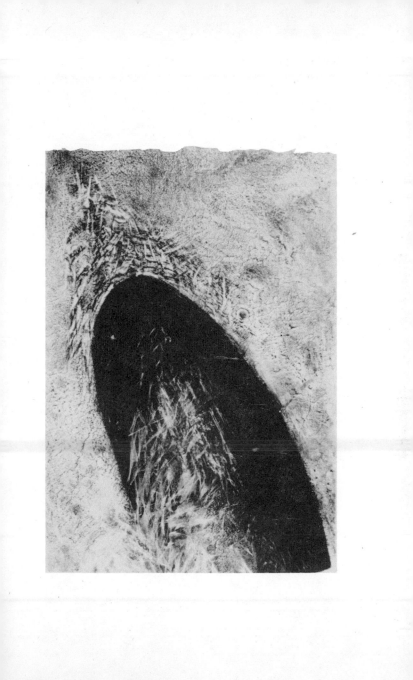

je retourne les jours
comme de grosses pierres

dessous les étonnantes noirceurs

je m'allonge
serrant mes os tout contre moi

j'entends les ombres
qui grugent ma chambre

cloutée d'os saillants
j'ai la nuit enfermée
dans la bouche

sûrement
le jour ne va pas tarder

je pose mes doigts sur la table
ce sont mes pleurs
qu'offre l'image des choses

le plus petit ciel tomberait
dru
sur ma peau

de petites clartés incassables
posées au bout des doigts
ce qui m'occupe
a peu de poids

je ferme les yeux
et l'air s'amenuise

cela vient peut-être des foules
qui saignent dans ma bouche

le bleu devient ciel
et bute contre ma porte

autour de moi des murs
ma chambre éclairée
serait un ossuaire

il y a encore à respirer
encore à prendre
des cailloux hâtifs
poussent dans mes mains

je n'ouvrirai pas
ce qui m'attend
m'emplit comme un fleuve

des doigts ruissellent sur mes épaules
je ne veux qu'écouter les chants

les oiseaux se cassent
contre mes yeux

il y a des lieux convenus

encore que s'effeuillent
d'autres clartés

des lampes gercent la noirceur

j'écris des miroirs
pour préciser l'œil
ou le souffle

je resserre les neiges
autour de ma voix
ma vie s'accoude à des blessures

j'écris des chiens

l'œil est une brûlure
retrouvée à l'éveil

des mots s'éteignent comme des joies

qu'il soit possible d'écrire vite
un temps encore
celui-là même que le vent abrège

le jour cogne à mes tempes

j'affûte mes os
et dépèce les ombres
une à une

la mer s'use de curieuses révoltes
j'avale le sel et le sable
et brûle de cette eau

parfois je me tais
comme en une première mort

enfants nous faisions des jeux
avec les doigts de glace
pour la survie des choses
et du jour

puis d'autres roses
du cinabre et de la craie
personne autour de moi

je connais trop peu
l'effet du vivant

saisir les vols d'oiseaux
comme un fruit de clarté

trop du bleu des heures
je n'ai plus l'usage de l'enfance
qui peint l'espace entre mes bras
vastes et lents

sous des blessures épuisées
le ciel est un rétrécissement de la peau

le silence est une mémoire respirable

je marche dans mon corps
tout juste mouvant

j'ai des os simples
mes gestes ont perdu un peu
de leur consistance

par-delà les murs
le vent éteint la lenteur d'un profil

avec précaution
le jour se défenestre

de petites roses périssent en mes mains
je m'affaisse dans le réduit de mon crâne

les yeux sont trop courts
pour saccager le ciel

nos os seuls soutiennent
la pulpe de l'air

tant de ciels
dans la gueule écumante du jour
surtout
qu'ils ne s'installent pas en nous

je vide la terre de mes mains

l'horreur est sans feinte
nous sommes des dieux hilares

le vent ruisselle d'orages

tant de mers se perdent
sous nos langues de sel

je contemple quelques versions du désastre
m'étreint la moindre lueur

le ciel noircit
les naufrages sont des étoiles
qu'empoigne la nuit

à peine si on ose retourner son corps

sous nos mains encore nos mains

peu importe ce qui tombe
du silence
ou des paupières

plus un os sous ma peau
tant j'ai brûlé d'air

je m'enveloppe des murs de ma chambre
la ville comme une voix
se referme

mon corps bruit
autant que les feuillages
quand se déploie le vent

pourtant l'usure du sol
m'avait rompu à un autre poids

le soir sera plus lourd
si près de l'éloignement

peu à peu
ma chambre se dissout

très loin la clarté
(est-ce un œil
gravissant ta peau)

je ne défais plus la nuit
jamais les pleurs ne se referment

je lave mes os poisseux
des dernières clartés
les trop vivantes neiges

le ciel fixé durement

bientôt je partagerai sa noirceur
velours du champ lisse
quand mourir est un lieu

voici mes seules pierres

ton visage
pour y tremper le mien

j'ajoute le vent
à ce qui multiplie mes pores

mes pieds sont nus
et les murs clairs

Clameurs

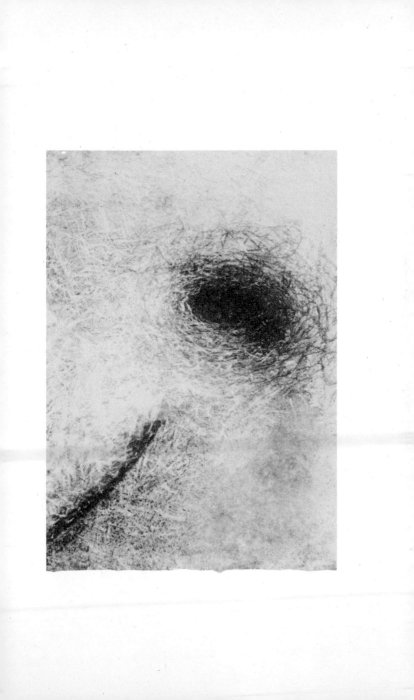

s'ouvraient les roses aussi
au pourtour violenté

nous étions presque sans force
des marques d'ombres
là où commencent les os

le cœur en battant meurtrit la chair

une coulée de gestes
sur un matin cireux

ainsi les pierres tombent
sur nos corps
comme des signes ignorés

le jour me couvre de bruits
cette habitude des mains virevoltantes

les ciels s'approchent
comme des toiles lourdes

j'ai peur de ma trop grande fatigue

la lumière aussi est bruyante

ranger les cimes bleues
et l'air qui afflue

tant de froidures
nous ouvrent les chairs

la lumière est une dépouille soyeuse

la nuit a des doigts courbes

les murs nous rabattent vers l'aube

le paysage est une bavure du ciel
qui emperle nos cils

nous serons secoués
en nos bouches froides

d'innombrables paroles
s'accumulent dans un coin

de l'ombre suppure
le long de mes gestes

je découds mes paupières
mes yeux sont des tombeaux

puis je m'endors
nul corps amarré

l'air s'épaissit d'oublis

les jours s'achèvent
la nuit prend un autre sens

j'écoute la tombée des corps
pareils à des doigts liquides

dernier désordre de la voix

le rassis du jour dans la bouche

de quel silence s'agit-il

je promène ma mort lente

l'émeute de la pluie
me rend sourde

quand nos doigts l'emprisonnent
la nuit retentit des mers vives

la chambre roule
au creux de mes coudes
des miroirs s'amincissent
tombent
et se brisent
en de brèves clameurs

j'avale ma mort à petites doses
la mort vient aussi de ta bouche

nous avons cousu nos corps à la nuit
pour la consolation de la nuit

les noirceurs s'entassent sous la peau
et gonflent les paupières

qui sommes-nous
ivres des miroirs
à joindre ces ciels éteints

nos membres en filigrane du vent
chacun très haut
calque l'immédiat de ses lèvres

ce qui prend fin
aujourd'hui
viendra agrandir la nuit

rien ne peut vraiment refermer l'air
pas même cette résine
de nos mains

faute d'un peu de lune
d'autres étoiles
d'autres voix dépolies
s'écrasent contre les murs

mes os en breloque

si je le peux
j'agiterai mes doigts
comme des marionnettes
mimant le lent pourrissement
qui m'habite

l'œil emprunte de petites larves
au chagrin

des pierres fraîches
le gonflement des lèvres d'eau
et ces figures muettes
qu'annoncent nos mains

les choses vivantes
portent le sacrifice
qu'une nuit pourtant suffit à taire

où vont les chants comme les voiles tendues

la gorge est terreuse
comme après une mort

les doigts tour à tour
deviennent des silences
qui irritent l'air

je n'ai plus rien à faire de cette nuit
aussi spacieuse qu'une blessure

il me faut un grand jour clair

parmi le calme
et la pierraille

Table

Cet ouvrage, le vingt-deuxième de la
collection Initiale
a été composé en caractères Electra corps 12
par Dufour & fille Design Inc.
et achevé d'imprimer par
AGMV « L'imprimeur » inc.
le quatrième jour du mois de septembre
mil neuf cent quatre-vingt-seize
pour le compte des Éditions du Noroît
sous la direction littéraire de
Hélène Dorion et Paul Bélanger.

L'édition originale comprend 500 exemplaires
dont vingt-cinq numérotés, signés
par l'auteure et l'artiste.